图书在版编目（CIP）数据

是谁嗯嗯在我的头上／（德）霍尔茨瓦特（Holzwarth, W.）文；（德）埃布鲁赫（Erlbruch, W.）图；方素珍译.
—石家庄：河北教育出版社，2007.4（2012.4重印）
ISBN 978-7-5434-6462-9
I.是… Ⅱ.①霍…②埃…③方… Ⅲ.图画故事－德国－现代 Ⅳ.I516.85
中国版本图书馆CIP数据核字（2007）第022160号
冀图登字：03-2007-006

Vom kleinen Maulwurf, der wissen wollte, wer ihm auf den Kopf gemacht hat

Text und Idee: Werner Holzwarth

Illustrationen: Wolf Erlbruch

Copyright © 1989 Peter Hammer Verlag GmbH, Wuppertal

Simplified Chinese translation rights arranged with Peter Hammer Verlag GmbH

through Jia-xi books co., Ltd, Taiwan.

是谁嗯嗯在我的头上

编辑顾问：余治莹

译文顾问：王　林

责任编辑：颜　达　袁淑萍

策划：北京启发世纪图书有限责任公司
　　　台湾麦克股份有限公司

出版：河北出版传媒集团公司

河北教育出版社　www.hbep.com
（石家庄市联盟路705号 050061）

印刷：北京盛通印刷股份有限公司

发行：北京启发世纪图书有限责任公司
　　　www.7jia8.com 010-59307688

开本：880×1230mm 1/16

印张：2

版次：2007年4月第1版

印次：2012年4月第15次印刷

书号：ISBN 978-7-5434-6462-9

定价：29.80元

如有印装质量问题请与印刷厂联系(010-67887676-816)

是谁嗯嗯在我的头上

这本书献给会自己到厕所

"嗯嗯"的小朋友

文：〔德〕维尔纳·霍尔茨瓦特　图：〔德〕沃尔夫·埃布鲁赫　翻译：方素珍

河北教育出版社

有一天，小鼹鼠从地下伸出头来，
开心地迎着阳光说："哇！天气真好。"
这时候，事情发生了！

一条长长的、好像
香肠似的"嗯嗯"掉下
来，糟糕的是，它正好
掉在小鼹鼠的头上。

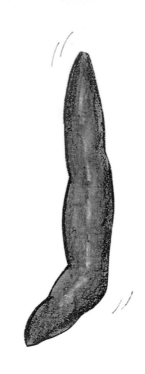

小鼹鼠气得大叫："搞什么嘛！是谁嗯嗯在我的头上？"

（有一个影子闪过去，但是小鼹鼠的视力不好，看不清楚到底是谁。）

一只鸽子飞过来了，小鼹鼠问她："是不是你嗯嗯在我的头上？"

"不是我！我的嗯嗯是这样的。"

鸽子说完，一团又湿又黏的白色嗯嗯，就掉在小鼹鼠的脚边了！

小鼹鼠只好跑去问牧场上吃草的马先生："是不是你嗯嗯在我的头上？"

"不是我！我的嗯嗯是这样的。"

马先生的屁股一扭，五坨又大又圆的嗯嗯，像马铃薯一样，咚、咚、咚……掉下来。小鼹鼠失望地走开了！

小鼴鼠问一只野兔：
"是不是你嗯嗯在我的头上？"

"不是我！我的嗯嗯是这样的。"

野兔立刻转身，十五个像豆子一样的嗯嗯掉下来了，哒、哒、哒、哒……在小鼹鼠的耳边响着，小鼹鼠立刻跑开了！

小鼹鼠问刚睡醒的山羊：
"是不是你嗯嗯在我的头上？"

"不是我！我的嗯嗯是这样的。"

（山羊的嗯嗯，像一颗颗咖啡色的球掉在草地上，小鼹鼠看了看，默默地走开了！）

小鼹鼠问正在吃草的奶牛：
"是不是你嗯嗯在我的头上？"

"不是我！我的嗯嗯是这样的。"

奶牛的嗯嗯，好像一盘巧克力蛋糕，小鼹鼠一看，就知道他头上的嗯嗯不是奶牛的。

小鼹鼠又跑去问猪先生：
"是不是你嗯嗯在我的头上？"

"不是我！我的嗯嗯
是这样的。"

（猪先生立刻"噗"
一声，掉下一坨软软
的嗯嗯，小鼹鼠捂着
鼻子跑开了！）

远远的，小鼹鼠又看见两个小家伙。

"是不是你们……"

他一面说，一面走近他们，原来是两只又肥又大的
苍蝇。

小鼹鼠想："啊哈！我知道谁可以帮助我了。"

他兴奋地问苍蝇："到底是谁嗯嗯在我的头上？"

苍蝇说：

"你乖乖坐好，我们试试看就知道了！"

苍蝇戳了一下他头上的嗯嗯，立刻说："哈！太简单了，这是一坨狗大便！"

小鼹鼠终于知道是谁嗯嗯在他的头上了！

好哇！原来是这只大狗！

大狗正在打瞌睡，小鼹鼠爬到他的
屋顶上。

"噗哧"一声，一
粒小小的、黑黑的嗯
嗯掉下来了，正好掉
在大狗的头上。

然后，小鼹鼠就钻回地下去了！